SERIOUS SADIE

by TONY GARTH

Sadie was a very serious little girl.

She took her schoolwork so seriously, she was always top of the class.

She took playing hockey so seriously, she was made captain of the school team.

She was also a serious stamp collector. After all, one day, they might be worth a fortune!

Sadie was serious about absolutely everything.

One morning, her Dad tripped over the rug and fell flat on his face. Her Mum and Dad howled with laughter. But not Sadie.

"That could have been very dangerous," she said. "You should be more careful."

"I'm perfectly all right," her Dad said. "Don't take things so seriously, Sadie."

Next day, the school football team won an important match. Everybody jumped for joy.

"There's no time for that," said Sadie. "We must work out our tactics for the next game."

"Don't be so serious, Sadie," her teacher said. "Come and join in the fun."

But Sadie shook her head. She had more important things to do than have fun.

That night there was a funny programme on the TV. Her Mum and Dad both wanted to watch it. But Sadie made them watch the news instead.

"Oh, Sadie," said her Mum. "We can watch the news later."

"I know," replied Sadie. "And we will."

She was so serious she wanted to watch the news twice!

One day, her friends asked her to go to the funfair.

"Okay," she said. "It could be useful for a school project I'm doing."

First stop was the roller coaster.

"Come on, Sadie," said her friends. "Let's go for a ride."

"It could be quite interesting," said Sadie, seriously, and climbed on board.

The roller coaster was so fast and so dippy that Sadie couldn't speak afterwards. It was brilliant!

Sadie and her friends got to the big wheel.

"Come on, Sadie," they said.

The view from the top was fantastic. Sadie liked it so much she queued up for a second ride.

The next ride was the Ghost Train.

"I think I'll give this one a miss," Sadie said. "I don't believe in ghosts."

"Don't be so serious, Sadie," said her friends. "They're not real ghosts! Come on. It'll be fun!"

So Sadie went along.

There were ghosts everywhere!

They popped out here and there, just when you least expected it. Sadie and her friends screamed and shrieked. It was really exciting.

Sadie had the time of her life. She loved every single minute.

"I never knew you could have so much fun," she told her Mum and Dad at dinner time.

"You shouldn't always be so serious," said her Dad. "You can have fun and still get your homework done."

"You can have fun and still play hockey," added her Mum.

"Really?" said Sadie.

Sadie thought that sounded perfect.

"From now on," she said, very seriously, "I'll do my homework, and play hockey, and still have fun at the same time."

Her Mum and Dad smiled.

"Glad to hear it," said her Mum. "Now, what are you going to do tomorrow?"

"I'll have to think about that very carefully," Sadie said. "Having fun is a very serious business."

Collect all 30 titles in the Little Monsters series

Printed in Scotland by Waddies Print Group. Tel: 01506 419393.

Mes contes p

Les Musi
de Brême

Conte des frères Grimm adapté par Sophie Koechlin
Illustrations de Carole Gourrat

DEUX COQS D'OR

Un jour, un vieil âne, qui avait toute sa vie porté des fardeaux, apprit que son meunier de maître comptait le tuer pour vendre sa peau. Affolé, le pauvre animal s'enfuit et prit la route de Brême.

« Je peux jouer d'un instrument, se dit-il.
Je serai musicien au service de la ville ! »

Près d'un champ, l'âne croisa un chien qui gémissait à fendre l'âme.
« Holà ! Pourquoi pleures-tu comme ça ? demanda-t-il.
– Ah ! s'exclama le chien. Je suis trop vieux, alors mon maître m'a chassé. Et maintenant, je ne sais où aller… »

« Viens avec moi ! Nous nous ferons tous deux engager dans l'orchestre de Brême, proposa l'âne.
Moi, je jouerai du luth, et toi, de la timbale ! »
Le chien accepta, et ils repartirent de compagnie.

Un peu plus loin les attendait un chat plus triste que la pluie.
« Bonjour ! Que t'arrive-t-il donc ? demanda l'âne.
– Ma maîtresse voulait me noyer parce que je suis trop gros pour courir après les souris…, soupira le chat.
– Les chats sont des musiciens nés, dit l'âne.
Viens à Brême avec nous ! »

Les trois amis passèrent près d'une ferme. Dressé sur ses pattes, un coq chantait à perdre haleine.

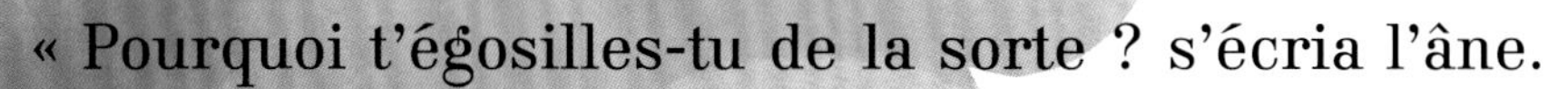

« Pourquoi t'égosilles-tu de la sorte ? s'écria l'âne.
– Je célèbre mon dernier jour, répondit le coq, car demain, la fermière compte me servir tout rôti à déjeuner !

– Viens à Brême ! dit l'âne. Nous allons jouer dans un orchestre. Si tu chantes avec nous, ce sera magnifique !

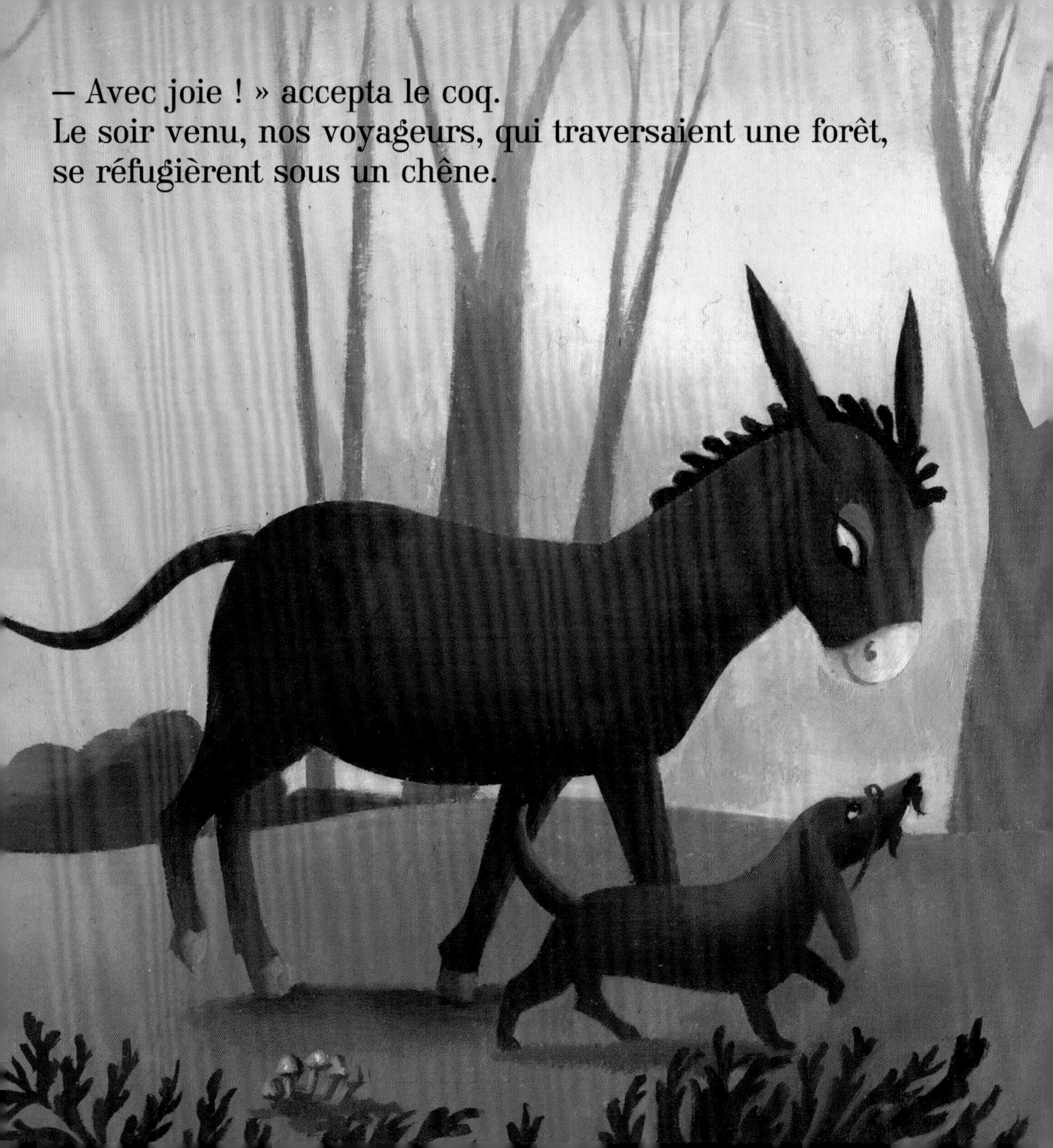

– Avec joie ! » accepta le coq.
Le soir venu, nos voyageurs, qui traversaient une forêt, se réfugièrent sous un chêne.

L'âne et le chien se couchèrent à son pied,
le chat grimpa sur une branche
et le coq se percha tout en haut.

Alors qu'il fixait l'horizon, il aperçut de la lumière entre les frondaisons. Aussitôt, il redescendit et s'exclama : « J'ai vu une maison près d'ici… Que diriez-vous d'y passer la nuit ?

– La forêt n'est pas faite pour les vieux baudets. Allons-y ! » décida l'âne.
Le chien, qui rêvait d'un plat d'os et de viande, et le chat, qu'un bol de lait aurait comblé, suivirent leurs amis.

Peu après, tous quatre découvrirent la maison illuminée.
Hélas, c'était le repaire d'une bande de voleurs...

L'âne s'approcha d'une fenêtre.
« Que vois-tu ? demandèrent ses compagnons.
– Je vois une belle table chargée de mets succulents… et tout autour, une sacrée tripotée de brigands ! murmura l'âne.

– Quelle chance ils ont !
soupira le coq.
– Nous pourrions peut-être
les chasser… » suggéra le chat,
l'œil brillant.

Suivant le plan du chat, le chien sauta sur le dos de l'âne, le chat grimpa sur le chien, le coq se percha sur le chat. Puis, les quatre compères braillèrent de toutes leurs forces. Terrorisés par ce qu'ils croyaient être un monstre, les brigands s'enfuirent en désordre !

La maison désertée, les musiciens affamés se mirent à table. Puis chacun alla se coucher : l'âne dans la cour, le chien derrière la porte, le chat près du poêle et le coq sur le toit.

Cependant, les brigands n'avaient pas dit leur dernier mot ! Vers minuit, comme tout semblait paisible, ils envoyèrent un éclaireur visiter la maison.

Le bandit entra dans la cuisine. Prudemment, il s'approcha du poêle pour allumer une bougie, mais confondit les yeux du chat avec la braise. Furieux, le matou se défendit en crachant et griffant. Affolé, l'homme trébucha sur le chien, qui mordit ses mollets !

Dans la cour, il reçut une forte ruade de l'âne, tandis que le coq, réveillé par le bruit, s'écriait : « Cocorico ! » C'en était trop ! Terrifié, le malheureux courut vers la forêt. « Une sorcière aux yeux luisants a pris notre maison ! dit-il aux brigands qui l'attendaient.

Un homme armé d'un couteau dormait derrière la porte,
un géant défendait la cour, et un autre criait :
"Qu'on lui coupe le cou !".
Si vous m'en croyez, les amis, filons d'ici ! »
Et c'est ainsi que nos musiciens héritèrent
d'une maison où ils vécurent heureux
toute leur vie !